cosette

COSETT

.3. Oralle

Cosette E.

L'apprenti Chevalier

Au feu, un dragon !

Des romans à lire à deux,
pour les premiers pas en lecture !

La collection Premières Lectures accompagne les enfants qui apprennent à lire. Chaque roman peut être lu à deux voix : l'enfant lit les bulles et un lecteur confirmé lit le reste de l'histoire.

Cette collection a trois niveaux :

JE DÉCHIFFRE les bulles peuvent être lues par l'enfant qui débute en lecture.

JE COMMENCE À LIRE les bulles peuvent être lues par l'enfant qui sait lire les mots simples.

JE LIS COMME UN GRAND les bulles peuvent être lues par l'enfant qui sait lire tous les mots.

Quand l'enfant sait lire seul, il peut lire les romans en entier, comme un grand !

Un concept original **+** des histoires simples **+** des sujets qui passionnent les enfants **+** des illustrations : **des romans parfaits pour débuter en lecture avec plaisir !**

Cette histoire a été testée par Francine Euli, enseignante, et des enfants de CP.

© 2016 Éditions NATHAN, SEJER, 25 avenue Pierre-de-Coubertin, 75013 Paris
Loi n° 49-956 du 16 juillet 1949 sur les publications destinées à la jeunesse,
modifiée par la loi n° 2011-525 du 17 mai 2011
ISBN : 978-2-09-256177-5

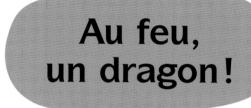

Au feu, un dragon !

Texte de Christophe Nicolas et Rémi Chaurand
Illustré par Bérengère Delaporte

Le chevalier Bernard et son fidèle écuyer
Solal mangent au soleil. Quelle joie,
quel bonheur, quelle douceur!
— Goûte avec moi ce moment de paix,
mon Solal, dit Bernard.

Soudain, un cri déchire le silence.

Qu'est-ce que c'est ?

Un draaaaaaaa…

Un grand garçon arrive et termine
sa phrase :
– ... gon !
Un autre garçon arrive. Sa chevelure
est en feu !

Au feu,
un dragon !

– Du calme, dit Bernard.

Il lui verse un pichet d'eau fraîche sur la tête et demande :

– Pourquoi cries-tu ainsi ?

Le Dragon rouge est réveillé !

Bernard dit à Solal :
– Le Dragon rouge !
Nom de nom ! Va chercher
mon équipement, Solal.

On va
le combattre
avec quoi ?

Avec
du courage !

Un des garçons dit :

— Il faut lui faire manger un coq vivant. C'est dans la légende !

Une dame qui est là ajoute :

— Tenez, chevalier, je vous donne mon coq. C'est un bon à rien. Il chante le soir et jamais le matin !

Bernard et Solal se mettent en route
avec le coq, mais aussi une épée,
une lance et un écu. Ils arrivent
à la limite du comté. Là où il n'y a
plus de pâturages ni de fermes.
Là où ce ne sont que marais puants,
montagnes vides et brûlées.

Ça monte !

La grotte du Dragon rouge se trouve
au sommet de la plus haute montagne.

On va attendre
le dragon
tout là-haut !

Bernard et Solal escaladent
la montagne. Puis ils fouillent
la grotte du dragon. Elle est vide.

Bernard explique à Solal :

— Nous allons le surprendre à son retour.

Bernard aperçoit le dragon.

Décidément, le chevalier est très
courageux. Il attrape son épée et
son écu, puis il s'avance vers la bête.

Il dit à son écuyer :

Mon Solal,
je vais te demander
de me donner
le coq.

Le chevalier ajoute :
– Discrètement.

Discrètement,
d'accord.

Solal sort le coq de sa cage. Le coq
se réveille. Il n'est pas content !

Quand il voit le Dragon rouge,
il n'a pas du tout envie d'aller se faire
gober tout cru !

Cocoripouaââk !

Une bagarre se déclenche
entre le coq et Solal!

Viens ici!

Le dragon se déploie pour mieux
contempler la scène. Et il se met
à faire de drôles de bruits en fumant.

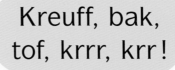

19

Même le coq s'est arrêté.
Tous regardent le dragon.

Que se passe-t-il,
mon chevalier?

Le chevalier répond, fâché :
– Je crois bien qu'il… rigole !
Il se moque de nous !

Le dragon se reprend. Il envoie une
grande flamme avec sa gueule terrible.
Bernard tend son grand bouclier.

Trop tard! Ses moustaches
sont grillées.

Le coq, Solal!
Viiiiiite!

Il fait
chaud!

23

Il se roule même par terre. Il est
tout près de la falaise maintenant.
Il rouvre un œil et voit le coq qui s'est
réfugié sur la tête du chevalier Bernard.
Son fou rire le reprend et…

Oups…

25

Le dragon tombe de la falaise !
Outch ! Le chevalier, le coq et Solal
s'approchent du précipice.

Il est mort,
mon chevalier ?

Oui, Solal,
je crois bien
qu'il est mort…
de rire !

Puis nos amis rentrent à la maison.

Avec leur coq qui chante à tue-tête :

– Cocorikoui-iii-ii-ii-iiiiikkk !

Chez Bernard, les deux nigauds qui
ont réveillé le Dragon rouge s'excusent :
— On est désolés, mon chevalier.
— Surtout pour vos moustaches !
— Et on vous attend pour la Saint-Jean,
dit le premier garçon, on fera rôtir
les volailles !

Et tout le monde éclate de rire
avec Solal, le petit mais brave écuyer
du chevalier Bernard.

Euuk !

Il n'est pas
d'accord...

Nathan présente les applications tirées de la collection *premières* lectures.

L'utilisation de l'Iphone ou de la tablette permettra au jeune lecteur de s'approprier différemment les histoires, de manière ludique.

Grâce à l'interactivité et au son, il peut s'entraîner à lire, soit en écoutant l'histoire, soit en la lisant à son tour et à son rythme.

Avec les applications *premières* **lectures**, votre enfant aura encore plus envie de lire… des livres !

Toutes les applications *premières* **lectures** sont disponibles sur l'App Store.

Bravo! Tu as lu un livre en entier !
Tu as aimé cette histoire ?
Retrouve Solal dans d'autres aventures !

premières lectures

N° éditeur : 10231870 – Dépôt légal : avril 2016
Achevé d'imprimer en décembre 2016 par Pollina (85400 Luçon, Vendée, France) – L78957